El Mensajero

Lom
PALABRA DE LA LENGUA
YÁMANA QUE SIGNIFICA
Sol

Rosenmann-Taub, David 1927-
El Mensajero: Cortejo y Epinicio II [texto impreso]
/ David Rosenmann-Taub .– 2ª ed. – Santiago: LOM
ediciones; 2015.
158 p.: 17x11 cm. (Colección Bolsillo).
     ISBN: 978-956-00-0577-9

1. Poesías Chilenas I. Título. II. Serie.
    DEWEY: Ch861 .– cdd 21
    CUTTER: R875m

FUENTE: Agencia Catalográfica Chilena

© **LOM** EDICIONES
Segunda edición, 2015
Primera edición, 2003
ISBN: 978-956-00-0577-9
RPI: 135.897

Motivo de portada: David Rosenmann-Taub

DISEÑO, EDICIÓN Y COMPOSICIÓN
LOM ediciones. Concha y Toro 23, Santiago
TELÉFONO: (56-2) 2688 52 73
lom@lom.cl | *www.lom.cl*

Tipografía: *Karmina*

IMPRESO EN LOS TALLERES DE LOM
Miguel de Atero 2888, Quinta Normal

Impreso en Santiago de Chile

DAVID ROSENMANN-TAUB

CORTEJO Y EPINICIO II
El Mensajero

COLECCIÓN ENTRE MARES

LOM
EDICIONES

Papá,

tres días antes de marcharte, me pediste que te prometiera que revisaría **El Mensajero** *hasta crear el más hermoso –real– libro.*

Cumplir la promesa me ha exigido cumplir tu edad.

VITAMORTIS

I

Arambeles:
fanales: secos ríos
de los yunques benignos
de la hacendosa suerte.

Vacante
rectitud.
Transitoria, mi carne
finará más aún.

II

LA CITA

Preguntarán en casa
por mí. ¡Tanto feriado sin tu zarpa!
Sepelio, ¿no me amas?

Paulatino diluvio.
Neutralidad. Borneo hacia el estuco.
Dios, celoso: «¿Te aburro?»

III

STELLAE

Cuencas de castigados.

IV

CONJURO

¡Desciende!: los riscos anuncian la noche,
las lágrimas curten sabor de crepúsculo,
los ímpetus riñen con orlas de bronce,
los árboles sueltan dolores absurdos.

¡Desciende!: los niños restauran agüeros,
la rancia penumbra mitiga los patios,
y silban, dichosas, las hojas al viento:
jaspe valentía de injertos icáreos.

¡Desciende!: las púas del humo, las fundas
labriegas de ruines mazorcas,
te llaman, te estrujan
de lejos: ¡te alondran!

Muy suave, inequívoca,
almohádame y mádreme y créceme.
Oh blanca tiniebla de fijeza viva.
¡Desciéndeme, Nieve!

V

JÁVELE

Lentiscos,
pestañas delatoras,
los dedos del granizo
entornan la petunia:
te asomas:
el rocío te alumbra.

VI

ACADEMIA

¿Bazar: grúa: merced
de cilindros: península:
migala: itinerario
de hiedra: aparador
frondoso? El sanedrín
del pupitre, en la audacia
del tapete: mi aljibe.

VII

LA CODICIA

Donde el atrio se hará monte,
donde el monte se hará mar
ha de aderezar la niebla
los alborotos de sal
con que las ingles, naneando,
cardumen la inmensidad.
De la proa de las proas,
en los ramales del mar,
        verbo
        roca
    –verbo azogue–
está animando el compás.
¿De quién, majadal suntuoso,
donde el atrio se hará monte,
donde el monte se hará mar?

    Con la punta y con el taco
        zapatea
        sobre el mar
la niebla, selva de redes.
Mi bergante, de azafrán.
Ríe la niebla, de veras:
litiga morder sus manos:
se las muerde por jugar:
mientras muerde que nomuerde,
con la punta y con el taco
zapatea sobre el mar.

Donde el atrio
se hizo monte,
donde el monte se hizo mar
brinca el hijo
de mi alma.
Por bailar
una tromba de aceitunas
con zapatos de alquitrán,
la niebla ignora sus dagas.
Mi crío ríe que ríe
sin parar.
La niebla –rencor– se esconde
donde el atrio se hizo monte,
donde el monte
se hizo mar.

Mi crío ríe que ríe,
bailando que bailará
con madre nueva. La hondura
se hermana a su retozar.
Ha de aderezar la niebla
los alborotos de sal
con que las ingles, naneando,
cardumen la inmensidad.
¡De quién, majadal suntuoso,
por los ramales del mar!
¡Sin parar los ostracismos,
bailarás,
riendo, roca de azogue,
donde el atrio se hace monte,
donde el monte se hace mar!

VIII

ESTERTOR

¿Dos?
Sht.
Uuu…

*
* *

Balanza
de esmaltes. Fisura. Diván
travieso, respiras
varillas. Corchete. Pujanza.
Tambor. Contorsión de titán.

Te enclaustras sin fianza,
ni asfalto. Tabique en afán
de linfa. Deliras:
diván
o panza.

*
* *

Respiras,
callada maestranza.
¿Callada?

IX

LAS ONCE

Ese queso perturba su cadáver
en la alcachofa, cárdeno, a la izquierda.
Falta poco. En sus nichos,
eriales compoteras.

Prendedor de humedades,
hiede el pan. El arrope, de asamblea.
Remilgo, ese racimo.
La derecha, a la izquierda.

Falta poco. En sus nichos,
confusas compoteras.
En sus piélagos quietos: incesantes,
estas gruesas tajadas pedigüeñas.

X

CONTRAESPEJOS

(Fortuitas colgaduras.)
…Bujía, ciñes siglos,
sometiéndote: inculcas
disfraz en el jergón arrepentido.

Fatigas sórdidas
se nutren. Hueros,
los tobillos sollozan.
(¿Multiplicar? ¡Cubiertos!)

XI

FICCIÓN

El duelo de la luz: la luz del sueño:
el sueño de la luz: la luz del duelo
–luz de la luz del sueño, luz del ritmo–:
la bondad del reflejo (aciago círculo):
el ritmo de la luz –duelo del duelo–.

Duelo del aire: sueño,
¿sobre la luz, bajo la luz, me cruzas,
sueño del aire: duelo?

Rasa reconditez, ¿cruzas el aire?
El duelo: el aire: el duelo: el duelo. ¿El aire?
Luz del duelo
del sueño: hábil oruga:
loma del sueño: persuasor que atrae
himen espádice:

duelo del aire: sueño,
¿bajo la luz, sobre la luz, me cruzas,
sueño del aire: duelo?

¿La luz del duelo: el sueño de la luz?
Duelo: sueño del aire:
sueño del sueño de la luz, ¿me cruzas?
La luz del sueño: el duelo de la luz:
peregrinando, nadie.

XII

GLEBA

Si macetas con plumas, si mamparas
con cepos, si coimeros
con viandas, si adalides con nostalgias,
si escrúpulos con ganchos, si desiertos

con ladrones, si tubos con amantes,
si orzuelos con escobas, si celliscas
con abulias, si emblemas con encajes,
si tijeras con belfos, si camisas

con flechas, si sahumerios con gusanos,
si naipes con gusanos, si trangallos
con gusanos, si horruras con responsos,

si ojivas con sospechas, si letargos
con infrapasadizos, si gusanos
con gusanos, si yo conmigo, solos.

XIII

DILACIÓN

(Lobreguez de los tuétanos
–jocundidad–, sazono tus percances.
¡Insaciables
mostos en que me acecho!)

Tafetanes,
las grandevas varonas: energúmenas
ajadas,
sus glorietas

dispersarán pantuflas.
(Reloj encanecido,
me tiño de mutismo: hacia el osario,
las ardillas

del porvenir…) Zaguera
coyuntura: noviazgos
de borrascas, se aprestan
los ecos. Cuán esquivas,

las llamas
del chantaje.
(Cuán esquivos,
mis trazos.)

¡Cierto, el mismo descaro
de tu muñeca! Ausentes, los cachetes rosados;
las cejas, augurando
lo flamante: las órbitas;
las orejas, sonoras;
lienzo granate, la sonrisa oblonga
que rezuma, pastosa,
elástica, *uauá*: clarines de carroña.

Se acomoda el estrado del mechero.
        Carraspea el hisopo.
Con brío lánguido –atizar brumoso–,
la eternidad, coqueta, ante el espejo,

        en su traje vandálico. Los vuelos
–mirtos, lorzas…– frufrúan. Por los hombros,
la jarana de broches. En el pecho
el escote palpita. Perentorios

        brazos: un rezagado crisantemo,
de las caderas a la nuca. Nítida,
la tirria de las lámparas: degüellos:

        preseas: aneurismas.
Yo, felino cojín, inmóvil, tenso:
la eternidad se pinta en mis pupilas.

XVI

DOMINIO

Calcinada,
la rúbrica;
gentil, el lodazal;
el monasterio,
decaída oscitancia
vagabunda.
«Pues te blasfemarás.»
«Señor, no tiemblo.»

XVII

FÍSICO

Polea de celajes:
hacia las medianoches del guarro amanecer,
los incas y sus pajes.

Trompo encarnado –predilecta muerte–,
giras para aprender a no moverte
y desaparecer.

¿Quizá de lo tortuoso unas señales?
¿Hubo entre estas instancias pensamiento?
Calvarios: por pañales.
¡Égida de escarmiento!

MAGNIFICENCIA

Tú –rumor– atisbas:
mástil de los límites:
aspa
de la encina.
Yo: cobijo manco:

lance de afufones:
ni cuarzo, ni albatros.
Tú: incienso.
Yo: sombra.
Plenitudes: tú:

potestad azul.
Yo –sombra sin sombra–
vadeándote iré.
De la encina, oreo,
tú, en la sobrecopa:

promontorio: eclipse:
norte de los nortes:
aspa de las aspas:
oblación: bajel,
también eres sombra.

Moroso, atleta, corvo, por chiripa,
de frente, de perfil, pipa tras pipa…
        Caridad, te extravías,
        cínife, en las mandíbulas

de mi abuelo –chochera sin almuerzo–,
sermoneándolas: «¡Clac!» Sucio segmento
        para acicalar pliegos:
        bollos bellos…

El tenedor, de toga, se levanta,
        se empuña: «¡Clac!» ¡Abuelo!
Las lechugas trepidan. Yo, a la vez.

Advenedizas, débiles, se agrandan
las trufas. Me vomito: mausoleo.
Y no discierne el tenedor qué hacer.

La lejía y la esponja de alambreorgullo
han tolerado, a saltos, su escoria histérica;
los platos, satisfechos, bajo la mesa,
han pulido un lozano chillido puro;

la ampolleta ha chasqueado, desfachatada,
contra el hule: serpiente;
el trinchero se ha abierto la bragueta, insolente,
sin mermelada;

muñidor vericueto de represalias,
el embudo ha traído sus concubinas;
la tetera ha implorado, soltera, trágica;

las ollas han suplido cochambre bizca;
el horno ha licenciado sus anarquías.
Yo, demócrata, surto: probable zanja.

XXI

GESTA

La aurora, amplio desnudo caudaloso,
centelló con dulzura.
La noche la cogió por la cintura,
sumiéndola en su catre venenoso.

Se echó la aurora a andar con pies trizados:
bizarría: rebozo
de nácar ojeroso:
jazmines derrumbados.

La mañana, famélica,
se gozó en sus entrañas;
pero la tarde le arrancó la presa:

bermejas telarañas.
Mintió la aurora a la felposa aldaba
y huyó hacia el ángelus, que la esperaba.

El balde, testarudo, sacrismoche,
zarandea –gaveta–
fotografías de alfileres, huellas
de resortes:

moho fresco, entre adobes,
su invalidez se alegra,
por desgracia.

Boicotea su sed, balde materno.
Sifón baldero,
¿le ofrecerás agua?
Dios de los baldes, nunca lo defiendas.

Rodeado de naranjos blanquecinos,
el muro, corazón crepuscular,
late plácidamente. Por las rejas

los rosales otean los caminos:
ah, contemplar el mar:
cómo abandonarían sus añejas

fibrillas: espirales.
El muro se arrellana: afables chales
de enredadera. El cierzo, tras las rejas,

pastor en oración.
Apóstatas, las tejas
cuchichean. Y el muro: corazón.

Cresa atareada:
tuerca
del hallazgo:

níspero: exprimidura:
reticencia:
giba arrogante: fucsia:

nadir: legaña:
tálamo
de barandas.

XXV

LA LLANURA

Dios clarea…

Cifrado, raudo, ponderado mozo.
Tramo –ringle–
de folios
colosales,
con llaves.

«¡Asiento! Les atiendo
desde mi afiche
(crápula): tintero,
guardapolvo, esportilla, cohibición.»
¡Caramba, si *ése*, yo!

Alhucema, tu hálito provocador
en el festín de musgo de la reseda
del pubis, desdeñando mi escarpidor,
agiliza opulencias: blanda alameda

de cáscara genuina. Te abrodesnudo
tras acrecrudo
sigilo de mil leznas. La posesión,
ermitaña, me acosa
con pereza jugosa:
bocado apasionado de nopasión.

XXVIII

El sol pica la espuela:
«Arre, barbecho, bríndame una legua,
          no por primor, ni tregua:
a ver si aupamos leche con canela
en el aturdimiento que te cela:
          linda yegua.»
Barbecho ansioso, orondo huaso, tomas
la jarra: te la zampas: ¡está seca!

El henar y la tierra adeudan cueca.
El viento, qué guitarra de palomas.
La siesta de copihues –pernil– arde.
          Qué guainería el trote.
Se derraman los chuicos de la tarde.
¿Y el horizonte? Con olor a mote.
¡Huifa de nubes! Pronto el cielo entero
será una fonda dentro del estero.

Insurrecto durazno
de chambones julepes
–papirotazos turbios
de mi matusalén–:
campeadores, los puños.

Loros del vecindario,
contad los imprudentes
aprietos destas hélices:
un cuesco. ¡Pretender
tradición, suprimiéndose!

XXX

MI CUERPO

Pertigal sin contornos:
noble pecio
de enmontañada
teología:
coro:

lámina
casi hebilla
de caverna: aquí lejos:
estrépito:
consigna.

XXXI

Hurgando el escozor de una turgencia,
una almendra, implacable,
se partió a mi rigor, ricial, perfecta,
orgiástica, tajante:

mmmh, de tan sierva, arisca:
de tan febril, crispado manantial:
de tan almendra, enhiesta,
firmesutil, firmehalagüeña, tímida:
tortura –aditamento–
de insolación fugaz.

DESTINO

Noche, revélate en mis jemes: sé
    que eres profunda.

Filtro de tempestad interrumpida,
    vas por mi diástole.

Lar sideral, hospédate en mis huesos,
    como la luna.

Y tú, cielo, planea sobre Dios,
    para tocarte.

Si –bestial cicatriz
en las albricias
de apelmazados frascos–
hollara este deseo
perito e inquebrantable, ¿enfadaría
cómputos inconclusos?,
¿asuraría zafra de aulladeros,
rechinando promesas –sinapismos
difuntos–?
De la copela ahíta de residuos,
desde el despecho escuálido,
lo vería surgir
todavía tremendo.

XXXIV

COFRADÍA

—Redrojo, se refugian
bajo caudillos pétalos
tus abejas:
inviernos.
—Horadaré las dianas
con el polen
de mi catilinaria.

—Desensuéñame: trónchame.
—Garúa,
préstame tu quimera.

XXXV

Para extenuarme necesito un ojo
de laberinto, un hito termitero,
       un guirigay de infancia:
la fútil robustez del altanero

       cazador. Con antojo
       de velas, el velero
       ha estibado en la estancia
       prohibida: me apodero

de mi soma: lo hostigo, lo comparo
conmigo, navegándolo en la costra
de perspicacia. No descubro el faro

       jurado por menganos. No se postra
mi ruda gratitud. Te postras, alma:
       la tormenta me calma.

(Por andurriales
o cizañas.)
–No desesperes –concurre Dios.
–¡Busco un rincón!
–Ten el baluarte
de la verdad desde el sosiego
de mi proeza.
                    –Lo destierro.
–Es el rincón que *me* buscabas.

(La bráctea de un rezongo.)
–¡Busco un rincón que no conozco!

XXXVII

EVIDENCIA

La madrugada, intrusa, con su yugo cinéreo,
fluvial, indemne, lerdo.
De la ciudad las fauces:
quiquiriquí jauría.

Vulnerable
mejunje:
rotonda agreste de mi ser: tarima:
torpor: gemela herrumbre.

XXXVIII

AGNOSIA

¿Difluente?
¡Seductor!

XXXIX

PÁSIM : DIORAMA

1

Cuánto leerme: fusiforme armario:
moscardón huroneado en la escudilla:
prestidigitación con mantequilla:
pastelería de papel de diario:
circundante intestino, a barquinazos:
jofaina hecha pedazos.

Mi redención: el filo
del escoplo, mellado
–sátiro hielo, cápsula maltrecha–.
Cuánto leerte –asilo
de enérgicos raquíticos, dorado
prodigio de alma coja– en cada brecha.

Capataz
de mis pústulas:
plausibles sesos, zupia,
ditirambo

convulso,
comisuras bautistas,
arrugas, vómer.
¿Cráneos?

Quinientosveintitrés.
Parietales… ¡Las huinchas!
Del bigote

de fe,
mejor no hablar:
una ritual excusa, lo aseguro.

Sancionando cabida
real, cabré: roncero
pandillista.

Clima que abastecí, que no abastezco,
que no abasteceré:
cursos de troncos:

márgenes que se anulan, al hender
guiñapos, sin apoyo
de enviones espontáneos,

secuestrando
la soga de un ocioso
carrusel.

Endriago encabritado:
gladiador:
derrotado
monitor
de albedrío,
talvez, mío.
Caoba nigromante.
Tumba errante.

Conquisté aljez con alas:
armonía
de escarcha.
Mi paladar,
edad.
Los puentes de lo eterno
trenzó mi eterna intriga.
He corregido el cielo.

Cosecho
vehemencias
para una rambla
lívida.

Si me pusiera el guante –amén–
que puede
agasajar la tierra,
dando espacio al espacio y tiempo al tiempo

–ludir *humano*:
riesgo diferente–,
inventaría a Dios: «¿Cuál tu deber?:
flanera coagulada.»

*
* *

…Y esta noche, en mi yermo, una ceniza,
lamida por los bueyes del otoño,
taracea crisólitos
de una rambla aterida.

Elevación:
reliquias
de golpes:
sus noyós me cercenan.

XLIV

PÁRSEC

Otro icor, angustiado, en aquel astro:
«¿Por qué he acudido?
¡Feble soberano
de varios sacrificios!
¿Pero dónde?
Presiento un cantizal de rayos: nombres.
Otro icor, angustiado, en aquel astro.»

ADORMIDERA

XLV

HOGAÑO

Jesús: mi maderamen.
Vicisitud: aquí, en ningún instante.

Legado de la luna,
escurriéndose: paz.
El mármol –sedición–
prepara su vagido.
¿Tutor matorral? ¿Mármol?
Ni ajetreo.

Justo cetro: esa arteria
encandilada, frívola,
enamora contactos.
Llegaré a su avaricia,
con mi gula, en adviento,
diamantina.

XLVIII

TÉCNICA

El boscaje devora, al tañerlo, con sus mimos efímeros;
el boscaje devora, al mirarlo, con sus rizos galantes;
el boscaje no anhela urdir éter. ¡Tentación!: urdir hambre.
Y devora y devora, arrobado, tozudos fugitivos

que se guían por sus serpezuelas y se pierden y rinden
en la verde batalla de oprobio que los ama pudriéndolos.
Hojarasca a hojarasca a hojarasca, se reparten los buitres
del sinople el fornido que duerme sobre el tremedalero

del cazurro boscaje. La tierra ya no aréola o trance:
metalurgia que envidia a la savia centinela: más verde
mientras más amapolas circulan por la mezquina estirpe.

Hacia el boscaje, el éter:
su índigo, más ñeque
mientras más esmeraldas circulan por la piedra, que gime.

¡Boscaje! ¡Piedra, el éter, y la piedra sólo atina a gemir!

Brisa occisa
por viña
sin venturas: enigma
de, apenas, unas piras
con hormigas.

Aflicción no ha de ser.
Franja de andén,
desvanecida.

L

—Díscolo ripio, holgorio gutural,
murria menuda, celsitud dañada,
punción viril, matriz acorralada,
contumacia telúrica, ¿qué tal?

Fatal fricción, fatal bastión, fatal
perseverancia, incauta turbonada,
cortina incauta, ¿siempre de pasada?,
¿siempre desapegada?, ¿siempre igual?

—Así como me pisas, como tú,
sentencia deleznable, igual a ti,
exactamente en triunfo, igual a ti.

—Así, lo preveía, como yo,
sentencia deleznable, igual a mí,
exactamente, náusea, igual a mí.

LI

ESPUMA

Demoliendo arrecifes, furibundo, babeante,
apaciento reflujos y bodoques;
terrible en mi calaña de preciosas maldades,
guarnezco los bramidos que me imponen

entusiasmos de piocha: mis últimos penúltimos
nudos de voluntad.
Tiburón disoluto:
pedernal.

Oh falo de tifones,
frotas acantilados, asperjas leviatanes.
Gineceo, me sorbes

hipocampos arranques.
Abrupta cañería,
tierna, grávida, lijas.

LII

Sangras, sangrando, piedra irreverente
que el pantano enmudeces.
Y el pantano te invade el corazón.

¡Oculta, tercamente,
en mí tu borbotón!

RECREOS

La afectuosa manzana un azorado
corcovo arrima: «Mi perdón salado.»
Las rampas –litación–
incitan a un sedal
de cisuras. (Fervor
del follaje, prolongas tu aflorar
en cóndilos.) Sublevo
mi abril de mayo… Llevo
mi meñique hacia el céfiro: afectuosa,
la manzana reposa.

Surtidores: gacelas: trasparentes
junquillos: terebintos
de aciruelado talle:

pompa de pusilánimes palacios:
guirnalda de campanas
en ulpo de pirámides:

torrencial tornasol: arpegio de uvas:
antena: abrevadero:
mejillas de mi madre.

Las margaritas
se emperejilan:
unas a otras,
¡habrase visto!:
supremas dueñas del aroma:
los nimbos, predio,
y el predio, nimbos.

Capitulantes
truhanerías:
impar gorjeo de precipicios.
Los muchachos, más perseguidos.
Las muchachas, más encendidas.
Qué baraúnda de jacintos.

Tramando gracias,
tumultuoso,
buzo al revés,
el laurel medra.
Se escruta el río en el laurel
con sus iris extendidísimos.

Vilanos berros,
lirios graneros,
boldos chiquillos:
predio en volandas,
soy tu testigo:
por eso vibro.

¡Nidos, bullidme glaucopajizo!
¡Maizales cercos!
¡Untos sandiales!
¡Grito
bisoño!
¡Riélame, vaho de yuyo y menta!
¡Ganoso grito!

Sojuzgando tristezas
y frambuesas,
embistiendo pistachos, apogeo
de su embriaguez total y cosquilleo
granadal, mi fragata
se aquilata,
crocantemente próspera, exultante.
Mustio pezón gigante.

Distraídas las azucenas grises
y la dúctil ortiga con la luz
que se distrae con los colibríes
que cimbran distraídos la segur
balsa de los vergeles distraídos
con el vitral de distraídas urnas
de gallardos gorriones tras los ídolos
exangües de la altura de la altura.

Por unos hilos
de agua
se encaraman arañas
amarillas.

Atolondrada, el alma
disipa
su contento
en los declives tibios.

Ah, la huerta faquir y la retama.
Bejucos, vivarachos matapiojos,
abnegados enjambres,
blanquean, desafiantes,

el yeso
matutino.
Mío, nada; pues todo,
por misántropo, mío.

La zampoña, serena,
generosa, en la piel de apatía, venablo,
huele a establo.
La boyante faena

de membranas virtuosas –su resaca–,
humillada: la prisa se apresura.
Los cardos, abrasados, aguijan: su cordura
–enclenque lastre– ataca.

Hiemal concebimiento
irrumpe hacia la hora
tenuísima. El ocaso finge color de aurora.
Mi vejez, a la espera, joven, por un momento.

CONCORDIA

LX

En el umbral
del mundo
me detuve a escuchar
la mendiga canción
de un talismán:

«Ironía
de cráter
—esqueleto—:
para hispir acuidad,
asciende el vendaval.

¡Engaste
galileo!
¡Selenita!»

*
* *

¿En el umbral
del mundo
me detendré a escuchar
tu mendiga canción,
oh talismán?

BESOS

J.S. Bach

LXI

ASFÓDELO

La sesión, escarpada.
Dios, inicuo, asqueroso:
como la poesía.

Mitad del sinsentido:
como la poesía.

Tú, hombre sorprendido,
superfluo, temeroso:
breve llanto sin lágrimas:
como la poesía.

LXII

LA RATA VIEJA

Este entretecho hierve
de chinches. Los listones, ay, trampas que a mi cola
irresistiblemente
embrollan con sus clavos
bulbosos y mordaces,
urgiéndola a berrear.
Huelgan en mí las pulgas, formidables;
mis patas delanteras, obediencia de sarro;
me he roído el hocico por roerme el pellejo;
los diviesos, expertos, en mis patas traseras,
aplauden, avanzado, su capricho.

                    La inercia,
aquí, se engolosina…
¿Algo azul, que recuerdo
a veces en mis sueños,
otro sueño, o pasó?:
un moño sin nariz,
arrullando, me atrinca,
en una cucharita,
miel con mieles;
yo, pillín, sentadín,
tras pringosa modorra:
«No, mamá, no,
mamá.»

LXIII

Cómo me gustaría ser esa oscura ciénaga,
libre de lo de ayer, qué alivio, oscura ciénaga,
dejar correr el tiempo. ¡La más oscura ciénaga!

Cómo me gustaría jamás haber nacido,
libre de lo de ayer, jamás haber nacido,
dejar correr el tiempo, jamás haber nacido.

Cómo me gustaría lograr morirme ahora,
libre de lo de ayer, lograr morirme ahora,
dejar correr el tiempo, lograr morirme ahora.

Cómo me gustaría rodar por el vacío,
libre de lo de ayer, rodar por el vacío,
dejar correr el tiempo, rodar por el vacío.

Cómo me gustaría ser el cero del polvo,
libre de lo de ayer, ser el cero del polvo,
dejar correr el tiempo, ser el cero del polvo.

Para no cavilarme, para no volver nunca,
Dios mío, yo creyera en Ti para no ser.
Cavílame en tu nada, no me hagas volver nunca.
¡Dios mío, yo creyera para nunca creer!

Cómo me gustaría ser esa oscura ciénaga
sola bajo la lluvia,
¡cómo me gustaría ser esa oscura ciénaga
sola bajo la lluvia!

Dicen que fue la muerte la causa de la vida,
y la vida –¿la vida?–, la causa de la muerte.
Pero, ahora, mi muerte, la causa de mi vida.

Yo qué: furgón deshijo –destello– de la muerte.
¿Me repudias, ovario, por ímprobo deshijo?
Me has arrastrado al éxodo tan candorosamente

que tu candor me duele –ultrajante alarido–,
que tus lianas me duelen –dignas uñas lumbreras–:
cómo me gustaría jamás haber nacido,

cómo me gustaría ser esa oscura ciénaga,
libre de lo de ayer, qué alivio, oscura ciénaga,
dejar correr el tiempo. ¡La más oscura ciénaga!

Cómo me gustaría rodar por el vacío:
la más oscura ciénaga sola bajo la lluvia.
Cómo me gustaría olvidarte, Dios mío.
Cavílame en tu nada. ¡No me hagas volver nunca!

En el cajón del velador, amparo
de gualdas cartas húmedas,
la enormenormenorme cucaracha.
Ufano mango
del calzador, asísteme.

                Desbarra,
cae, súbdita,
volteada, sobre el lecho:
diligencias mostrencas:
cien élitros hostiles.

                Retrocedo.
Tiara torva,
posa
su níquel virutísimo
–cúspide– en mi pescuezo;
se desliza, efusiva, hasta mis labios,
con su ataúd.

              Me adhiero
a la pared: arduo motín de celdas
leñosas y relámpagos
fétidos: simulacros
tupidos
de lamento almibarado.

LXV

ESTILICIDIO

Diantre, que la navaja se aturulle de premiosa:
pabellón hechicero, envite, escueto cascabel:
constante gallardía, pelo a pelo, ventajosa
derrochadora de jirones –poda: redondel–.

Diantre, que la navaja empuerque el ávido tropel:
rica –fatua– anilina altruista –zaina–, fosa a fosa,
tortolee la nuez, pespuntadora: rica hiel
impertinente, anzuelo del anzuelo. Jabonosa

ocurrencia: ¡patraña! Ábrete, estorbo, sin porfiar,
cartílago o bisagra o cenotafio o celulosa.
Ni custodio mecenas, ni pilastra… La navaja,

solemne, descollante, decorosa.
No me vales, cinismo, en la angostura. ¡Mi tinaja!
¡Confederados músculos! ¡Y, diantre, calamar!

LXVI

VERAEFIGIES

Mi desayuno: sangre.
Un cuajarón de sangre: la jalea.
Lidia, rojo, el mantel. Amenazante,
la tacaña arpillera del sillón

se eriza. Mis hermanos se restriegan,
cebándose los lóbulos, hartándose.
Lujuriosas, las venas del parrón:
el crúor las posee: corto un vástago:

su placer alardea empalizadas.
Salgo a la calle: los dinteles, rojos.
La vecina de enfrente se extasía,

isla de pulcritudes, escupiendo
su tísica saliva. Las veredas:
escaldaduras: cáfilas hurañas,

chorreantes. Los tranvías triscan, rojos.
Encías brutas: chapoteo sangre.
Un amigo, bufando, enrojecido,
　　　　me saluda.

En una roja lonja pido sangre.
Allá, en la plaza, enrojecidos niños
juegan con la mañana enrojecida.
　　　¡Chirlo! ¡Abyecto milagro

leal! ¡Zozobra, día, luego, luego!
Y la roja gotera
rasga bostezos rojos.

Los párpados, candentes, de la tarde
se han cerrado, por fin. Por fin, regreso.
Herbazal de la cólera.

Rojos, los bamboleos de la luna.
Bóveda, levadura purpurina,
las acacias, de sangre hinchen penachos.
Canta el parterre su conflagración:

aorta. En el acuario, un pez, sangriento:
rígida sombra roja.
El cielo: la cabeza
de un quejido: cernícalos: terror.

En mi cuarto, sangriento, el suelo oscila
sus vapores de sangre. En los retratos,
dardos –rojos, los ojos–, mis abuelos.

En sábanas sangrientas me revuelco.
Por el postigo, rutilar de sangre.
Y estoy durmiéndome en un sueño rojo.

LXVII

CAUTIVERIO

Cripta. Que vire hacia el mentón sus avalanchas
níveas. Que sus melenas se hundan en la astilla
de alcohol de mi prurito. Que sus foscas manchas
embelesen los dientes de mis córneas. Brilla,

indómito, su templo. Desde la frazada
cunde un eclesiastés de roncha enardecida.
Calígine garduña, mi coraje nada
por las ágatas densas de la urraca orilla.

Cripta. Que me envuelva
su yesca binza traspirosa, pifia, alerta.
Que su cabal postura –momia– me disuelva,

pobre azúcar final de su café… La puerta,
demasiado blindada. Mi escafandra choca
con la puerta. Mi egregia estría desemboca

en los cerrojos. Evitando espasmos, llego
hasta la cuerda imagen que se adosa loca.
Turulato bochorno altivo. Terso fuego.

LXVIII

DEL ASESINO

Ogros. Birretes. Palcos
de chaya. Sismos. Luces de bengala.
Cárcavas. Bucles. Arlequines. Sapos.
Bocinas. Onomancias.

Volutas de cerveza. Trinos. Ganglios.
Odaliscas decrépitas. Canastas.
Violín de quiltros. Rehilanderas. Párvulos.
Caballos. Proyectiles. La fanfarria

trituraba tableros.
Fumaba el pasto. El hontanar plañía.
Descarrilaba el tren de las estrellas.

La luna –un antifaz– te había puesto
sortijas de lascivia.
Tus nervios, sémola de mi conciencia,

los añicos bordaban.
Te impelí por el vértigo
con mis delgados obstruidos hierros.
Apuré el ascua acial, la cataplasma,

la frenética vaina
mía ya tuya, el abedul guerrero,
las vegas de estupor y contubernio,
la protesta de alhajas.

Perifollos,
tus ojos, estridentes, numerosos,
sofocaban el ruido de la noche.

Con regalo de tiznes te oliscaba
el parque. Un ángel, en cimeras zarzas,
se masturbaba con los ruiseñores.

Rugiste: necio cirio:
mercantiles cristales
aprensivos,
moliéndose: los alpes

del fastidio
bruñeron, acicates,
tus oficios,
tu cencerro vinagre,

tus infalibles dalias,
tu reptil:
los cúmulos de hazañas,

fraudulentos.
Y, abisal, me encontré –berenjenín–
con tus dedos atados a mi cuello.

LXIX

AZOLVE

Niego mis codos. La pesada túnica
amedrenta canales: docta, imbele,
emulsiona sombreros enlutados.
El frío del calor de mi sustancia
tropieza, eliminando el remolino.

LXX

TAJRIJIM

Honrando lo impoluto de un laudable mefisto
sobre este basural de eficacia omitida,
la prole de Ramrram y la prole de Cristo
veneran la juiciosa culebra parricida.

Letame de tarántulas, hemisferio de flema,
lápida de las lápidas: reclamo mi sudario.
Cloaca, tu diadema:
¡mi sudario!

…Negligencia, me acoges,
sin indagar con larvas, en tus trojes.

LXXI

MOLDURA

Amamántame,
llambria.
¿Vengarme del culpable
sin culpa? Óptima loa:
piltrafa
de limosna.

Magia
de salvajez:
favorecer.
Mis penurias: monarcas.

Conciso fango:
nimiedad: edén.
Y no me engaño.

LXXII

HEGEMONÍA

«Error por el que viene,
no: trasiégate.
Cilicio del designio,
impídeles amarse:
destroza la raigambre
del incendio.

¿Han de engendrarme? Sea, sin ansiedad, un himno,
sin fulgor, de silencio.»

ZUMO

LXXIII

Abundancia
de ráfagas.
Doméstica afrodita.

Para drupas hogueras,
biselada, elegida,
libarás nuestras lenguas.

El lecho –qué navío– nos separa.
Te vas, perla humareda, consumido arrebol.
Después de las gargantas
del deleite,

la lebrel lasitud. Quédate mía, ¡quédate!
Huyes, huyes, tendidamente ajena
a mi tenaz abrazo.
Un grumo de aerolito.

¡Retorna! Infame, el sueño, fajándome, aventándome,
majestuoso, insondable
de impavidez, me emigra, aberración,

a océanos distintos de planetas distintos,
cada vez más lejísimos. Opacidad viajera:
¿perpetua travesía? ¡Si nos vamos!

Ah, jactanciosa en flor, vencida
por gavillas,
asida
por líquenes, herida…

Ah, suculenta en flor, vencida
por resinas,
asida
por cogollos, herida…

¡Ah, jactanciosa en flor!
¡Ah, suculenta en flor!
¡Ah, bullanguera en flor, herida
por semillas!

LXXVI

ENCINTA

Santiguado panal,
la soledad
irisa
los cosmos: tempranía.

Yo: un trigal.
                    Tú: los trigales.
Yo: una voz.
                    Tú: toda voz.
Una voz en los trigales.
Un trigal en toda voz.
Amaranto que se rompe.
Latigazo de ambición.
Amaranto y amaranto.
Usurpador esplendor.

Yo: un trigal.
                    Tú: los trigales.
Yo: un sendero.
                    Tú: la tierra.
Un sendero de trigales.
Un trigal sobre la tierra.
Amaranto que se rompe.
Tú: la ofrenda de la ofrenda.
Amaranto y amaranto.
Yo: tu fruto sin corteza.

Yo: un trigal.

                       Tú: los trigales.

Yo: resuello.

                       Tú: huracán.

Un huracán de trigales.

Un resuello de trigal.

Amaranto que se rompe.

Lo vasto no es vastedad.

Tú: un resuello en los trigales.

Yo: un trigal en huracán.

Sublime rumbo de la arena,
rumbo sublime de la ola,
sublime bloque embaucador,
con lo sagrado de la arena
recién pulsada por la ola.
Con la sorpresa de la ola
recién pulsada por el sol.

LXXIX

FECUNDIDAD

¡Seráfico, enlazarme!
Rozo una cordillera.
Tus rodillas
me inmolan. Dócil cauce

del nogal de aleluyas: fraguas ebrias
de nidos. Reverbero: tu vientre, ocal, salobre,
tembloroso,
feliz.

Mis sienes aligeran
la cumbre. Acariciando el miedo de que el brote
se asemejare a mí,

emancipo tus piernas:
vigías
del tesoro.

LXXX

CAREZZEVOLE

Cuando arreglas mis ropas, cuando ordenas mis libros;
cuando me haces comer a la fuerza, tundiéndome:
«¿Bueno?, sólo por mí»; cuando –quinqué– te acercas,
mientras escribo, y pones tus palmas en mi frente;
cuando –frágil ovillo– te obstinas en mis brazos,
despeinando –peinando– mis cabellos rebeldes,
y mis áridos labios, respetuosa, humedeces,
mi corazón, iluso, trata de parecérsete.

Cuando, imperiosa, usuras alcores ondulantes;
cuando te agitan vagas colmenas, cuando tejes
jardines diminutos, cuando te acunas; cuando,
con vanidad furtiva, tanteas la simiente;
cuando sonríes, trémula; cuando, tranquila, lloras,
taladrándote –pájaros– los latidos alegres;
cuando, en medio del campo, te duermes, campo muelle,
inútilmente el cielo trata de parecérsete.

Desnuda, como antes.
No te estremezcas por la comba de oros
maduros: calcedonias primiciales
pesquisarán tu granja:
dorsos sin dorsos, para empavesarte;
mi boca, espiando tu fisgón ombligo,
pernoctará impalpables
lustres de beatitud
hacia tus muslos, que alzarán jordanes
de vigor: catedrales;
tus alarmados flancos, mi facundia;
tu comba de oros frustrará a la muerte;
tu palidez nos vestirá avatares
resplandecientes, iracundos, árbitros,
perennes. Qué bandada de paisajes,
tu saña. Purifícame: sé mía,
desnuda, como antes.

NEPOTISMO

No compitió el poema,
sí mi primo Esaú,
con su tabú
camarada, y mi prima Letíciara (me agarra:
don bote botarate en que *ella* rema),
con su casual marido (me socarra,
ídem –prójimo tema–),
y un vendedor, y un guardia. ¡Hasta un cliente!
No compitió el poema:
de cimarra.
¿Reacio? Replicó, posteriormente:
«No competiste tú.»

LXXXIII

DEPEAPÁ

Sosa,
la novelita
rosa
del falso firmamento.

Cuando la terminé
me percaté
de que nunca fue escrita,
no porque no aferrara algún talento.
Por axiomática. ¡Por infinita!

LXXXIV

MILNOVECIENTOSCUARENTAIUNO

Para simpatizar entre galaxias
hay que adiestrarse en hatos bien difíciles.
Un ejemplo: jeringa con el tío,
sin que la tía endeble lo imposible.

Para simpatizar entre parientes
hay que adiestrarse en hatos bien sencillos.
Un ejemplo: flirtear con las galaxias,
sin traquetear legión de pergaminos.

¿Qué crédito me empina a arengar esto?
Se lo consulto a usté y me lo consulto.
Los tíos roncan, yertos,

y, a babor, a retazos, las galaxias;
no usté, ni yo, ni el memorial de enseres
de forrados dilemas en desuso.

(Córcholis, tío Francia, tía España,
no he intentado ofenderlos.
Florones a los suyos.)

FORTALEZA

LXXXV

INALCANZABLE

Euforia
de pamplinas: suplicio placentero
de cuadradas coronas:
autoridad de médanos.

Escarbé: recogí –prosternación–
un balbuceo.
La lucerna selló:
«Nuestro aposento.»

Me incrustaré en las vértebras
–pinzas– de Dios: poema.

LXXXVI

LEXFERENDA

Hojecer,
al ocaso,
desde ahogadas legumbres o andamios
cornalinos: sin diques, acróbata enebro extirpado.
Y hojecer,
claudicando, al ocaso.

De peñasco en peñasco, de ladera en ladera,
    sígueme, madre.
De pavor en pavor, de cendal en cendal,
    sígueme, madre.
De comparsa en comparsa, de columpio en columpio,
    sígueme, madre.
De rechazo en rechazo, de doncella en doncella,
    sígueme, madre.
De lesión en lesión, de glaciar en glaciar,
    sígueme, madre.
De desgana en desgana, de sepulcro en sepulcro,
    ¡sígueme, Madre!

LXXXVIII

HÉROE

¿Tinglado? ¿Nenúfar? ¿Roqueda?
…Arturo Barría Araneda…

LXXXIX

DE COMPRAS

Un verso
me rehúye.
Me elaboro almacén: procuro afrecho
–multas o pleuras,
tandas de diagnósticos
o morfeos
o enchufes–.
Mi dependiente
–genio de gorguera
nocturna–, virginal, obra el paquete.
Le pago con pudor y me da el vuelto:
un verso luminoso.

XC

BALADA

«Retoño mío, mientes mucho más que tu padre,
mucho más, mucho más.

El águila voló toda la noche
sobre el dosel: al alba la dejé de soñar.

Retoño mío, sabes mucho más.

Agonizan los valles:
para que sufran menos los esparzo en tu faz.

Caducará el galope:
congoja de cisternas: desistir: azotar.

Retoño mío, mientes mucho más.

Y el galope y el águila y los valles
no se marchan. Yo soy el que se va.

Retoño mío, sabes mucho más que tu padre,
mucho más, mucho más.»

XCI

A LUIS MERINO REYES

Una región de rostros:
un ilícito césped:
un grial chisporroteo

suspicaz, misterioso,
diáfano, displicente,
intrépido y austero.

XCII

A ROBERTO DUNCKER

¡Tamiz! ¡Aplicación!
Acuciaré los bustos,
los diplomas,
el teclado (cetrino),

las vetas de tus gatos
(sin atmósfera)
y las dedicatorias.
… Jericó.

«Por frisar.» «No lo dudo,
charlando.» Empecinados,
tus carpos se desbordan.

¡Valses!
Cosas que abrigo.
Las alfombras: pedales.

XCIII

A MILA OYARZÚN

Ad gloriam.

«La viudez en honor
del Honor.»
                «Las posdatas.»

*
* *

Obtuso, el caserón.
Tú, rival y precaria, sus ventanas.

XCIV

ALIENUS

La forastera góndola
del tedio
me dicta
sus desechos:
mi historia:
poesía.

TOPE

XCV

ACUARELA

Los limones…
Pacotilla pueblerina
de tiritonas carretas:
obesidad de opresiones.
    En la esquina,
flacas perras regordetas.
Abalorio: los balcones:
planchadoras demacradas,
costureras desveladas.
Alcancías de bastones.
    ¡Los limones!

Ahorcados volantines,
en las ramas
–piadosas, *en el fondo*:
lo hicieron sin querer–.
En los charcos, los golfos del suburbio.

Intervalos:
aceites,
eructos, profecías:
entre las meretrices toallas o vejigas,
de bruces, roblonados
toneles
de familia.

XCVIII

Lavandera de amor, vara atrofiada,
guiso torrado, sacarosa amarga,
pábilo de inocencia, horma cansada,
perfumada raíz, ¡sangro en tu carga!

Pulpa de hollín, cabaña desolada,
magullado accesorio, que en la larga
madrugada vacilas, madrugada,
peldaño de ciclón, ¡sangro en tu carga!

En tu reino de colchas y pañuelos
no se atreve la luna a beber cielos.
Tu espalda: una garrafa de salmuera,

y tu seno: una grieta pordiosera.
Lavandera de amor, despierta huesa,
¿a tu mortaja lavas en la artesa?

XCIX

Jauja del conventillo.
«Los cuñados, primero.»
La cacerola, fiel, en el brasero,
ciega, sin lazarillo.

C

Rastrera, perdularia compañía,
regocijo infernal de la blancura,
bazofia regia –mondonguil rapiña
de lo que arriba es parsimonia adúltera,

de lo que abajo es atalaya limpia–,
rondas, desligas, servicial caronte,
plétora de guijarros
y esputos y escorpiones

–argollas que el zodíaco te entrega–:
hogar asedias dentro de los tarros.
…Eh, plural detector, echa en tu saco

esta vil melodía que me anega:
este concho que sobra en la Bodega:
esta misericordia que machaco.

Tirana astuta, hincada
–opalescente andrajo,
víscera inmaculada–,
con tu baya eventual en el refajo.

Agnusdéi de arestín
–covachas y boliches–:
portento de cicuta:
vorágine modesta:
baldadura:
declive.

Pasavolante añil
de amoratados
pómulos
–chinganas de gangrena,
ganzúas y gangochos–.
…El columbrón, hipando.

QUID

Conque manso el potrillo… ¡Mansa coz
de chúcaro denuedo!
Por resultado, versos:
paráfrasis de Dios.

ÍNDICE

VITAMORTIS

MAGNIFICENCIA

DESTINO

ADORMIDERA

RECREOS

CONCORDIA

BESOS

ZUMO

NEPOTISMO

FORTALEZA

TOPE

QUID

ESTE LIBRO HA SIDO POSIBLE POR EL TRABAJO DE

COMITÉ EDITORIAL Silvia Aguilera, Mario Garcés, Luis Alberto Mansilla, Tomás Moulian, Naín Nómez, Jorge Guzmán, Julio Pinto, Paulo Slachevsky, Hernán Soto, José Leandro Urbina, Verónica Zondek, Ximena Valdés, Santiago Santa Cruz **SECRETARIA EDITORIAL** Marcela Vergara **EDICIÓN** Braulio Olavarría **PRODUCCIÓN EDITORIAL** Guillermo Bustamante **PRENSA** Susanne Fröhlich, Patricia Moscoso **PROYECTOS** Ignacio Aguilera **ÁREA EDUCACIÓN** Mauricio Ahumada **DISEÑO Y DIAGRAMACIÓN EDITORIAL** Leonardo Flores, Max Salinas, Gabriela Ávalos **CORRECCIÓN DE PRUEBAS** Raúl Cáceres **COMUNIDAD DE LECTORES** Francisco Miranda **VENTAS** Elba Blamey, Luis Fre, Olga Herrera **BODEGA** Francisco Cerda, Pedro Morales, Carlos Villarroel, Hugo Jiménez **LIBRERÍAS** Nora Carreño, Ernesto Córdova **COMERCIAL GRÁFICA LOM** Juan Aguilera, Danilo Ramírez, Inés Altamirano, Eduardo Yáñez **SERVICIO AL CLIENTE** Elizardo Aguilera, José Lizana, Ingrid Rivas **DISEÑO Y DIAGRAMACIÓN COMPUTACIONAL** Luis Ugalde, Marjorie Dotte **SECRETARIA COMERCIAL** María Paz Hernández **PRODUCCIÓN IMPRENTA** Carlos Aguilera, Gabriel Muñoz, Rómulo Saavedra **SECRETARIA IMPRENTA** Jasmín Alfaro **PREPRENSA** Daniel Alfaro **IMPRESIÓN DIGITAL** William Tobar, Carolay Saldías **IMPRESIÓN OFFSET** Rodrigo Véliz **ENCUADERNACIÓN** Ana Escudero, Andrés Rivera, Edith Zapata, Pedro Villagra, Héctor Carrasco, Juan Molina, Rodrigo Flores, Sandra Maturana, Carlos Mendoza, Fernanda Acuña **DESPACHO** Cristóbal Ferrada, Julio Guerra, Felipe Vega, Juan Pablo Huarapil **MANTENCIÓN** Jaime Arel **ADMINISTRACIÓN** Mirtha Ávila, Alejandra Bustos, Andrea Veas, César Delgado, Boris Ibarra.

LOM EDICIONES